¡Di algo!

Rimas tradicionales
Ilustrado por Erica Sirotich

Lee Aucoin, *Directora creativa*
Timothy Bradley, *Gerente de ilustraciones*
Conni Medina, *Gerente editorial*
Caroline Gasca, *Editora*
Rachelle Cracchiolo, *Editora comercial*

Teacher Created Materials
5301 Oceanus Drive
Huntington Beach, CA 92649-1030
http://www.tcmpub.com
ISBN: 978-1-4807-4000-6

Printed in China
WaiMan

Índice

Cinco gatitos

Cinco gatitos
tuvo una gata,
cinco gatitos
detrás de una mata.

Cinco que tuvo,
cinco que criaba
y a todos cinco
lechita les daba.

Los pollitos dicen

Los pollitos dicen
pío, pío, pío
cuando tienen hambre
cuando tienen frío.

La gallina busca
el maíz y el trigo,
les da la comida
y les presta abrigo.

Bajo sus dos alas,
acurrucaditos,
duermen los pollitos
hasta el otro día.

La rata planchadora

Una rata vieja,
que era planchadora,
por planchar su falda
¡se quemó la cola!

Se puso pomada,
se amarró un trapito.
Y a la pobre rata
le quedó un rabito.

Doña Araña

Doña Araña se fue a pasear,
hizo un hilo y se puso a trepar.
Vino el viento y la hizo bailar,
vino la tormenta y la hizo bajar.

A la una

A la una, sale la Luna.
A las dos, suena el reloj.
A las tres, bajito es.
A las cuatro, descanso un rato.
A las cinco, doy un brinco.

A las seis, no me ves.
A las siete, anda, vete.
A las ocho, ten bizcocho.
A las nueve, toma nieve.
Y a las diez, otra vez...

Dos palomitas

Dos palomitas en un palomar,
la una se fue, la otra también.
Dos palomitas en un palomar,
una volvió, la otra también.

Aserrín, aserrán

Aserrín, aserrán.
Los maderos de San Juan
piden pan, no les dan.
Piden queso, les dan un hueso
que se les atora en el pescuezo.
Y comienzan a llorar
en la puerta del zaguán.
Y les hacen riqui, riqui,
riqui, riqui, riqui, ran.

Una niña tengo

Una niña tengo,
chiquita y bonita,
que no tiene sueño
y a mí me lo quita.

Yo quiero dormirla,
dormirla quisiera.
Ella abre los ojos
y juega que juega.